Diwrnod Ben...digedig

MICHAEL MORPURGO ∾ PATRICK BENSON
Addasiad SIÂN LEWIS

Gomer

Agor un llygad.
Yr un hen fasged, yr un hen gegin.
Diwrnod arall.

Clust yn cosi.
Crafu, crafu, crafu.
Mmmmm.

Ymestyn fy nghorff yn hir, hir.

Dyma Lili'n dod.

'Bore da, Ben,' meddai Lili.
'Wyt ti'n gwybod pa ddiwrnod yw hi heddiw?'
Am gwestiwn dwl! Ydw, wrth gwrs!
Y diwrnod ar ôl ddoe
a'r diwrnod cyn fory.

Allan â fi. Mae Smot yn cyfarth 'bore da' yr ochr draw i'r cwm.
Go dda, 'rhen Smot. Smot yw fy ffrind gorau, heblaw am Lili wrth gwrs.
Dwi'n cyfarth 'bore da' yn ôl.

Ond alla i ddim aros. Rhaid casglu'r gwartheg.

'Co nhw.
Mae tad Lili'n disgwyl i fi
eu gyrru nhw i'r parlwr godro
cyn iddo gyrraedd.

Gwell i fi gadw llygad ar fam y llo bach.
Mae hi braidd yn wyllt.
Gorwedd i lawr, trwyn yn y gwair.
Syllu arni'n galed.

Ac i ffwrdd â hi, gyda'r lleill.

Dyma Dad yn dod i odro dan ganu'n llon.
'Da iawn, Ben,' meddai.
Dwi'n ysgwyd fy nghynffon.
Mae e wrth ei fodd.
'Da iawn ti,' meddai eto.
Dwi'n cael fy llaeth. Mmmmm.

Yn ôl â fi i'r tŷ.
Wel, dwi ddim am golli fy mrecwast, ydw i?
Mae Lili wedi dechrau llowcio'i bacwn ac wy.

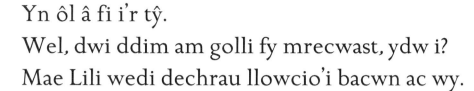

Dwi'n eistedd wrth ei hymyl,
ac yn edrych arni'n llwglyd
iawn, iawn.
        Dyw'r tric byth yn methu.

Mae dwy grofen o'i bacwn yn disgyn yn slei bach
o dan y bwrdd, a'r crystiau tost i gyd. Mmmmm.

Mae llwyth o bethau blasus
o dan gadair y babi bore 'ma.
        Dwi'n eu bwyta nhw i gyd. Mmmmm.

Bob bore, mae Lili eisiau i fi fynd
gyda hi i ben y lôn.
Mae'n hoffi cael cwtsh bach, a llyfiad
neu ddau cyn i'r bws ysgol gyrraedd.

'O, Ben,' mae'n sibrwd. 'Ceffyl. Dyna'r
unig beth dwi eisiau ar fy mhen-blwydd.'

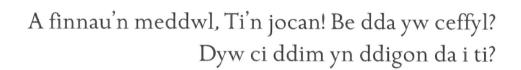

A finnau'n meddwl, Ti'n jocan! Be dda yw ceffyl?
Dyw ci ddim yn ddigon da i ti?

Yna mae'r bws yn dod, ac i mewn â hi.
'Wela i di,' meddai.

Mae tad Lili'n chwibanu arna i.
'Ble wyt ti'r cnaf bach?'

Dwi'n dod.
Dwi'n dod.

Ar hyd y lôn eto,
drwy'r clawdd,
dros y gât.

'Symud hi, Ben.
Dwi eisiau cneifio. Cer i gasglu'r defaid.'

Ac mae e'n gweiddi a chwibanu,
yn gweiddi a chwibanu.

Be sy'n bod ar y dyn?
Ydy e'n meddwl 'mod i'n dwp?
    Dyma 'ngwaith i!
    Dwi'n gwybod beth i'w wneud.

    Gwibio i lawr y rhiw.
        Neidio dros y nant.
            Sleifio y tu ôl i'r defaid.

                Cripian ar fy mol. Cadw pawb yn dawel. Ardderchog!

I ffwrdd â nhw. Y praidd i gyd yn trotian yn dwt.

A finnau'n sleifio y tu ôl iddyn nhw, yn cadw llygad ar bob un,
yn codi ofn heb gyfarth na chnoi.

'Da iawn,' meddai Dad. Am y trydydd tro heddiw. Go dda.

Dwi'n gwylio'r cneifio
o ben y llofft wair.
Mae'n lle braf i gysgu.

Mae Meri-Mew yn rhywle.
Dwi'n clywed ei hoglau.

'Co hi, ar y trawst,
yn ysgwyd ei chynffon arna i
ac yn herian. Fe ddysga i wers iddi.

Ond dim nawr. Yn nes ymlaen.
Cysgu nawr. Mmmmm.

'Ben! Ble wyt ti, Ben?
Cer â'r defaid o 'ma.
Nawr! Symud hi!'

Iawn. Dwi'n dod, dwi'n dod.
I lawr â fi, ac allan â nhw,
yn un bwndel anniben,
        yn brefu ar ei gilydd
            ac yn gwthio.

Dydyn nhw ddim yn nabod ei gilydd heb eu dillad.
        Mae defaid braidd yn dwp, druain bach.

O, edrych!
Mae cannoedd o frain yn y cae ŷd.

Wel, fe gân nhw fynd o 'ma mewn chwinciad.
Ar eu hôl nhw! Dangos pwy yw'r bòs!

Mae syched arna i nawr.

Beth yw hwn? Cadno!
Dwi'n clywed ei oglau.
Dwi'n sniffian drwy'r coed sy'n
llawn clychau'r gog ac yn ei ddilyn
i'w ffau. Mae e'n bell, bell o dan y ddaear.
Alla i ddim mynd ato. Trueni!

Llowcio dŵr.
Ysgwyd fy hun, a sychu yn yr haul.
Gorwedd i lawr i gysgu.
Mmmmm.

Mae Smot yn fy neffro.
Dwi'n gwybod pam.
Mae e eisiau rhedeg
ar ôl Meri-Mew.

Rydyn ni'n ei gweld hi'n syth.
Ar ei hôl hi!

Bron â'i dal.
Bron iawn, iawn.
Ei chynffon dan ein trwynau.

O, am dric sâl!
Mae hi wedi gweld coeden.
Lan â hi.

Allwn ni ddim dringo coed, felly does dim i'w wneud ond cyfarth a chyfarth.
O, wel, alli di ddim ennill bob tro.

'Ben, ble wyt ti wedi bod, Ben?'
Tad Lili'n gweiddi eto.
'Cer â'r lloi i'r cae.
Oes raid i fi wneud popeth
fy hunan?'

Does dim yn waeth na symud lloi bach.
Maen nhw'n sgipio a sboncio.
Ond am bethau bach tlws!
Trueni eu bod nhw'n tyfu'n wartheg mawr lympiog.

Ha! Maen nhw yn y cae. Da iawn, fi!

Yn ôl i ben y lôn i gwrdd â Lili.
Dwi ychydig yn hwyr. Mae hi wedi cyrraedd.
Mae hi'n ysgwyd ei bag ac yn canu.

'Pen-blwydd hapus i fi,
    pen-blwydd hapus i fi.
Pen-blwydd hapus i Lili,
    pen-blwydd hapus i fi!'

I de, mae 'na gacen fawr yn llawn canhwyllau,
a phawb yn canu'r gân yna eto.

Edrych arnyn nhw'n
sglaffio'r gacen!

A neb yn meddwl amdana i.

Mae Lili mor brysur yn agor ei anrhegion,
dyw hi ddim yn sylwi arna i.
A finnau'n rhoi 'mhen ar ei phen-glin!

Car! Car yn dod ar hyd y lôn, a dwi ddim yn ei nabod.
Allan â fi fel mellten.

Dwi'n gi defaid, ond dwi hefyd yn gi gwarchod, cofia.
'Ben! Llai o sŵn!'
Wel, am bobl anniolchgar!
Wir, mae'n anodd bod yn gi.

Ai ceffyl yw hwnna?
Dwi'n mynd draw i sniffian.
Ie, ceffyl yw e.

Mae Lili wedi gwirioni. Mae hi'n taflu'i breichiau
am y ceffyl, ac yn ei wasgu am yn hir.
Dyw hi erioed wedi 'ngwasgu i
mor hir â hynna.

'Mae e mor bert,' meddai.
'Yn union beth o'n i eisiau.'

Dwi'n mynd. Does neb yn poeni amdana i.
Dwi ddim wedi cael darn o gacen eto,
a does neb yn gwylio.

Sleifio i'r tŷ. Neidio ar gadair.
Dwi'n bencampwr ar sglaffio.

Wps.
Mae'r plât wedi disgyn o'r bwrdd.
Dwi mewn trwbwl nawr.

Mae pawb yn rhedeg i mewn.
Dwi'n edrych yn ddiniwed.
Ond dwi'n twyllo neb.
'Y cnaf drwg. Allan â ti!'

Does dim ots gen i. Fe ges i'r gacen, yn do?

Dwi'n mynd i eistedd ar ben y bryn
ac yn dweud y cyfan wrth Smot.
Mae Smot yn cyfarth yn ôl, 'Da iawn ti!
Pwy sy eisiau bod yn gi da, ta beth?'

Yna mae Lili'n dod i eistedd wrth fy ymyl.
'Dwi'n caru fy ngheffyl,' meddai,
'ond dwi'n dy garu di'n fwy, Ben. Wir!'

Llyfiad mawr. Lili'n chwerthin.
Dyna'r sŵn gorau.
Dwi'n ei llyfu hi eto.
Mmmmm! Bendigedig!